初心者のためのエレキ・ベース講座

JN155721

ゼロから始められる**あんしん**入門書！

自由現代社

CONTENTS

■□ベースを弾く前に…□■
エレキ・ベースの種類……………………… 4
　Fender／プレシジョン・ベース ………… 4
　Fender／ジャズ・ベース ………………… 4
　Gibson／サンダーバード ………………… 4
　Gibson／SGリイシュー …………………… 4
　Gibson／ギブソン・レス・ポール・マネー・ベース … 5
　Music Man／スティングレイ …………… 5
　フレットレスベース……………………… 5
　多弦ベース………………………………… 5
準備するもの………………………………… 6
　ピック……………………………………… 6
　チューナー………………………………… 6
　メトロノーム……………………………… 6
　アンプ……………………………………… 6
　シールド…………………………………… 6
　ストラップ………………………………… 6
　エフェクター……………………………… 7
　ヘッドフォン……………………………… 7
　ケース……………………………………… 7
　スタンド…………………………………… 7
　替え弦……………………………………… 7
各部の名称…………………………………… 8
指板の音名と楽譜…………………………… 10
　指板の音名………………………………… 10
　譜面の構造………………………………… 10

■□第1章　セッティングと基本フォーム□■
チューニング………………………………… 12
　各弦の音…………………………………… 12
　チューナーを使ったチューニング……… 13
　実音によるチューニング………………… 14
　ハーモニクスによるチューニング……… 15
セッティング………………………………… 16
　アンプとの接続…………………………… 16
　ボディのコントロール部分の設定……… 17
　アンプの設定……………………………… 18
姿勢…………………………………………… 19
　座って弾くとき…………………………… 19
　立って弾くとき…………………………… 19
右手のフォーム（ピック）………………… 20
　ピックの持ち方…………………………… 20
　ピッキングの動き………………………… 20
右手のフォーム（フィンガー）…………… 22
　ツー・フィンガーの構え方……………… 22
　ピッキングの動き………………………… 22
左手のフォーム……………………………… 24
　クラシック・スタイル…………………… 24
　ロック・スタイル………………………… 24

■□第2章　リズム・トレーニング□■
音符の種類①………………………………… 28
　4分音符…………………………………… 28
　2分音符と全音符………………………… 28
音符の種類②………………………………… 30
　8分音符…………………………………… 30
　16分音符…………………………………… 30
　8分音符＋16分音符……………………… 30
音符の種類③………………………………… 32
　付点2分音符……………………………… 32

付点4分音符	32
付点8分音符	32
休符	34
ミュート	34
休符の種類	35
タイ／シンコペーション	36
タイ	36
シンコペーション	36
連符／シャッフル	38
連符の種類	38
シャッフル	38
音の長さをコントロールする	40
音を短く切る	40
音を長く伸ばす	40
メリハリを付ける	40
音の強弱をコントロールする	42
特定の音を強く弾く	42
だんだん強くする	42
突然弱くする	42

■□第3章　フィンガリング・テクニック□■

ハンマリング／プリング	46
ハンマリング	46
プリング	46
ハンマリングとプリングの組み合わせ	47
スライド／グリッサンド	48
グリッサンド	48
スライド	49
チョーキング／ビブラート	50
チョーキング	50
ビブラート	51
スラップ奏法	52
サムピング	52
プル	52
ゴースト・ノート	53

■□第4章　ベースラインの実践□■

コード弾きの基礎	56
コードとは	56
代表的なコード	58
メジャーコード	58
マイナーコード	58
セブンスコード	58
マイナーセブンスコード	58
コードをつなげて演奏する	60
クロマティック・アプローチ	60
ドミナント・アプローチ	60
ベーシック・スケール	62
メジャー・スケール	62
マイナー・スケール	62
ペンタトニック・スケール	64
メジャー・ペンタトニック・スケール	64
マイナー・ペンタトニック・スケール	64

■□第5章　サウンド作り□■

楽器の構造による音の違い	68
ピックアップ	68
楽器の材質	68
ネックのジョイント部分	69
ネックの長さ	69
使用弦	69
アンプ・セッティングの応用	70
POPS	70
ROCK	70
PUNK	70
FUNK	70
エフェクターの使用	71
歪み系	71
空間系	71
残響系	71
フィルター系	72
コンプレッサー／リミッター	72
マルチエフェクター	72
エフェクターの接続順	72
トラブル解決法	73
音が鳴らない	73
チューニングがずれる	73
弦の交換	74
弦交換に必要なもの	74
弦交換の手順	74

■□応用曲□■

KICK BACK／米津玄師	76
風になって／[Alexandros]	83
オレンジ／SPYAIR	90

ベースを弾く前に…
エレキ・ベースの種類

エレキ・ベースといっても、その種類や形状は様々あります。ここでは代表的なエレキ・ベースを紹介しましょう。この中でもとくにFender社のプレシジョン・ベースとジャズ・

Fender／プレシジョン・ベース

Fender PB62-78US 3TS

ロックやパンク系で使用されている、もっともスタンダードなベース。Z型に並んだピックアップと1ボリューム1トーンというシンプルな作りで、図太くパワフルなサウンドが特徴。通称プレベ。

Fender／ジャズ・ベース

Fender JB62-83US VWH

幅広いジャンルで使用されているオールマイティーなベース。プレベよりもネックが細く軽量なので、体の小さい人にも演奏しやすい。2コントロール1トーン、2つのピックアップが並んでいる。通称ジャズベ。

Gibson／サンダーバード

Gibson Thunderbird IV Bass

デザイン・ギターで有名なファイアーバードのベース版。ネック材がボディまで貫通したスルーネック構造で、低音域が重厚でコシの強いサウンドが特徴。

Gibson／SGリイシュー

Gibson SG Reissue Bass

1960年代に登場した名機SGを復活させたリイシュー・ベース。オリジナルと同じショート・スケールのスリム・ネックを採用したことで、複雑なフィンガリングにも対応。

ベースはもっともポピュラーなベースで、この2タイプをモデルにした様々なベースがメーカー各社から発売されています（説明に出てくるパーツ名はP.8「各部の名称」参照）。

Gibson／ギブソン・レス・ポール・マネー・ベース

Gibson Les Paul Money Base
定番エレキ・ギター、レス・ポールの伝統のクオリティーを受け継いだベース。ダブルカット・ボディにAAメイプル・トップを採用することにより、新次元のスタイリングとプレイアビリティを実現。

MusicMan／スティングレイ

MusicMan StingRay　BK
プリアンプ（電気信号を増幅する装置）を搭載しているため、ベース本体で強力な高音・低音のコントロールが可能。レッドホッドチリペッパーズのフリーを始め、テクニカル系ベーシストに愛用者が多い。

フレットレスベース

Fender JB62-85FL 3TS
ウッド・ベースのように指板上にフレットがないエレキ・ベース。音の伸びが良く暖かいサウンド。写真のようにフレットの跡があるタイプとないタイプがある。

多弦ベース

YAMAHA TRB-1005 TBL
5本以上の弦を持つベース。主に通常の4本の弦の上にHigh-C弦または下にLow-B弦のどちらかを加えた5弦ベース、High-CとLow-Bを両方加えた6弦ベースがあり、7弦以上のベースもある。

ベースを弾く前に…
準備するもの

ベースを始めるには、楽器以外にいくつか準備する必要のあるアイテムがあります。必須アイテム、あると便利なアイテムに分けて、様々なベース・グッズを紹介しましょう。

必須アイテム

ピック

指ではなくピックで演奏する人は必要になります。材質、形状、厚みなど様々な種類があり、ギター用ととくに区別はありませんが、厚くて大きめのものの方がベースには適しています。楽器店で1枚100円前後で購入できるので、最初はいくつか違う種類のものを使って自分に合ったものを探しましょう。

ティアドロップ型　トライアングル型　三角型　ホームベース型

チューナー

ベースは演奏前に必ず各弦を指定の音に合わせるチューニング行います。電子チューナーを1つ用意しましょう（チューニングの詳細はP.12参照）。

メトロノーム

ベースを練習するにあたって、正しいリズム感を養うために、必ずメトロノームを使いましょう。振り子式または電子タイプのものがありますが、他にメトロノーム機能が搭載されているチューナーやマルチエフェクターを使ってもOKです。

アンプ

ベースは楽器本体だけではきちんとした音が鳴りません。ベースらしい音を出すためにはベース用のアンプが必要です。自宅練習用の小型のものを1台用意しましょう。

シールド

ベースとアンプを接続するためのコードです。長さが3m〜5m程度のものを1本用意しましょう。

ストラップ

立って演奏するときは必要になります。ベースを購入すると付属していますが、単品でも色々な素材やデザインのものがあります。

あると便利なアイテム

エフェクター

音色を加工する機材です。ベースとアンプの間に接続し、フットスイッチでコントロールします。音色別に個体になっているコンパクトエフェクターと、様々な音色がプリセットされたマルチエフェクターがあります（エフェクターの詳細はP.71参照）。

ヘッドフォン

アンプやマルチエフェクターにはヘッドフォンをつなぐことができるので、音を外に出せない環境では役立ちます。

ケース

楽器の持ち運びや保管に必要なケースには、ギグバックとよばれる布や皮製のソフトケースと、頑丈なハードケースがあります。

スタンド

頻繁に演奏する場合はギター／ベース用のスタンドがあると便利です。

替え弦

弦は消耗品です。定期的に交換する必要があるので、替え用の新品の弦を1セット常備しておくと良いでしょう。弦交換のときにはペンチなどの弦を切る工具も必要になります。

ベースを弾く前に…
各部の名称

プレシジョン・ベースを例に、ベースの各パーツを見てみましょう。ベースは大きくヘッド・ネック・ボディの3つの部分から成り立っています。写真はベースを構えたときと同じ左手側にネック、右手

ヘッド
メーカーのロゴが書かれているベースの頭の部分。ペグが4つ並んだもの、左右で3：1や2：2で並んだものがある。

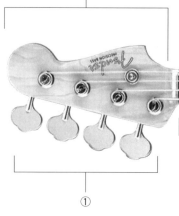

ネック
左手で弦を押さえる部分。通常のベースはロングスケールといって、ナットからブリッジまでの長さが約864mm。他に、ミディアムスケール、ショートスケール、スーパーロングスケール等があり、スケールによって張る弦の長さも変わる。

ヘッド

①ペグ
　弦を巻き付けているパーツ。チューニングの時に、ここを回して弦の張り具合を調整し、音程を合わせる。

②ナット
　ヘッドとネックの境目で弦を支えている部分。弦がはまるように溝になっている。

ネック

③指板(しばん)
　ネックの表面の板の部分。フィンガーボードとも呼ぶ。

④フレット
　指板上を区切る金属の棒。ナットの隣からボディ側に向って順に1フレット、2フレット、3フレット…と数える。

⑤ポジションマーク
　指板上の位置を分かりやすくするために付けられたマーク。ベースによってマークのデザインが変わったり、ないものもある。

側にボディになっているので、自分のベースと見比べてみましょう。各部の名称は一度に覚えなくても大丈夫ですが、この後の本編でわからない名前が出てきたら、このページで確認してください。

ボディ　右手で弦を弾く部分。ベースによって形状や材質、重量が異なる。

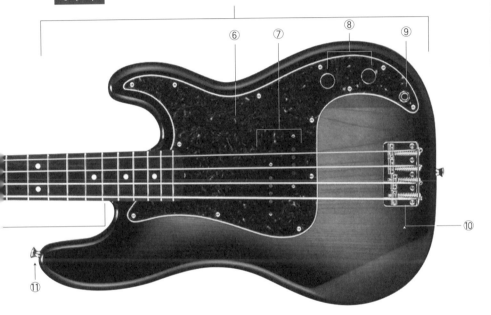

ボディ

⑥ピックガード
　ボディをピッキングの傷から守るために付けられたプラスチックのパーツ。

⑦ピックアップ（PU）
　弦の音を拾うマイク部分。弦の振動を電気信号に変換し、シールドを通してアンプに送る。いくつかのタイプがあり、それぞれ音質に特徴がある。

⑧コントロールノブ（ボリューム／トーン）
　ボリュームが音量、トーンが音質を調整するノブ。ベースによって数が異なる。

⑨アウトプットジャック
　アンプに接続するシールドを差し込む部分。

⑩ブリッジ
　弦をボディ側で支えている部分。弦と指板の間隔（弦高）を好みによって調整することができる。

⑪ストラップ・ピン
　ストラップをとめるためのパーツ。ブリッジ側はエンド・ピンと呼ぶ。

ベースを弾く前に…
指板の音名と楽譜

ベースのフレットの位置とベース譜の読み方を理解しておきましょう。バンドスコアなどでは、ベースは通常「ヘ音記号」の五線譜に「TAB譜（タブ譜）」という弦楽器専用の楽譜が併記されます。

指板の音名

図はヘッド側から12フレットまでの音名を示しています。13フレットからは1フレットからと同じ並びが繰り返されます。空白のところはすぐ左のフレットの音名に♯（シャープ）をつけるか、右のフレットの音名に♭（フラット）を付けて表わします（例：CとDの間ならC♯またはD♭）。

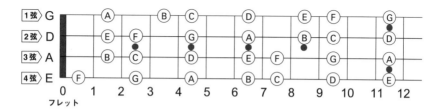

譜面の構造

下は「CDEFGABC（ドレミファソラシド）」の音を楽譜で書き表わしたものです。上段が五線譜、下段がTAB譜で、表記は違いますがどちらも同じ音が書かれています。五線譜に書かれたヘ音記号は、ピアノの左手の楽譜にも用いられる低音域を表わす記号で、低音楽器であるベースはこのヘ音記号の五線で書かれます。TAB譜は、横線が4本の弦、数字が左手で押さえるフレットを表わしています。指板上でどこを弾けば良いかが見たまま書かれているので、TAB譜だけを見ても演奏することができます。なお、音の長さ（リズム）は上下段とも同じ表記をします。

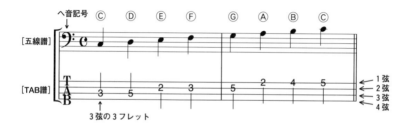

第1章 セッティングと基本フォーム

第1章　セッティングと基本フォーム

チューニング

　ベースを演奏するときは、必ず最初に4本の弦をそれぞれ正しい音の高さに合わせるチューニング（調弦）を行います。弦は放っておいても長時間演奏していても音が少しずつ狂ってきてしまうので、演奏前には必ず、長時間の演奏中もたびたびチューニングをして正しい音程に調整しましょう。チューニングは音が合っているかを一目で確認できるチューナーを使うと簡単に行えます。

各弦の音

　弦を左手でどこも押さえない状態のことを**開放弦**（かいほうげん）と呼びます。開放弦の音の高さはそれぞれ次のように決められています。

　各開放弦の音はペグを回して指定の高さに調整します。音を高く上げるときはペグを矢印の方向に締め、低く下げるときは反対方向にゆるめます。ただし、ゆるめる方向に合わせるときはチューニングが狂いやすくなるので、ペグを締め過ぎてしまった（音を上げ過ぎてしまった）場合は、一度ペグをゆるめて音を低くしてから、徐々に締めて音を上げるようにします。

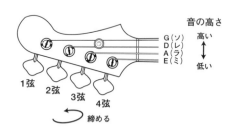

チューナーを使ったチューニング

では、チューナーを使ってチューニングを始めましょう。チューナーは、各弦の音の高さをメーターやランプの点滅でレベル表示する機械です。最初は取り扱いの簡単なギター/ベース用のオート・チューナーに慣れておくと良いでしょう。この他、チューナー機能を搭載したマルチエフェクターや、コンパクトエフェクターと並べて接続できるフットスイッチ型のチューナーもあります。

①ベースのアウトプットジャックとチューナーのINPUTをシールドコードで接続する。

②チューナーの電源を入れ、ベースのボリュームノブを上げる。

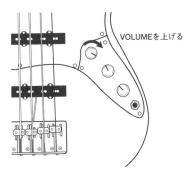

③開放弦を太い弦（4弦）から細い弦（1弦）の順に右手で1本ずつ弾き、音のレベルを確認しながらペグを回して4弦＝E（ミ）、3弦＝A（ラ）、2弦＝D（レ）、1弦＝G（ソ）に合わせる。

左側に針が振れていたら、ペグを締めて音を高く上げる。

真ん中に針が合ったらチューニング完了。

右側に針が振れていたら、ペグを一度ゆるめてから徐々に締めて音を上げる。

実音によるチューニング

　チューナーで全弦を合わせるよりも、手早く行えるチューニング方法を紹介しましょう。3弦の開放弦だけを最初にチューナーでA(ラ)に合わせ、これを元にして他の弦を合わせて行きます。演奏の合間でもパッと確認でき、自分の耳を頼りにするため音感も鍛えらるので覚えておくと良いでしょう。

①3弦の開放弦をチューナーでA(ラ)の音に合わせる。

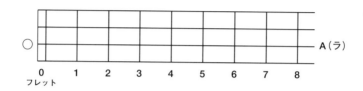

②3弦の5フレットを押さえて弾いたD(レ)の音に、2弦の開放弦を合わせる。

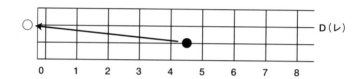

③2弦の5フレットを押さえて弾いたG(ソ)の音に、1弦の開放弦を合わせる。

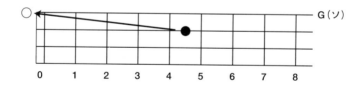

④最後に3弦の開放弦A(ラ)の音に、4弦の5フレットを押さえて弾いた音を合わせる。

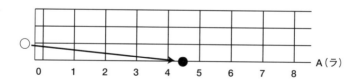

ハーモニクスによるチューニング

　左ページの実音によるチューニングと同じく、チューナーで合わせた3弦を元に他の弦を合わせる方法をもう一つ紹介しましょう。各弦の5フレットと7フレットの真上を、弦を押さえずに軽く触れた状態で音を鳴らすと「ポーン」という澄んだ高音が出ます。これを**ハーモニクス**と呼び、これを相対的に利用すると正確なチューニングが行えます。

①3弦の開放弦をチューナーでA（ラ）の音に合わせる。

②3弦5フレットのハーモニクスと2弦7フレットのハーモニクスを同時に鳴らす。このとき音程がピッタリ合うと「ポーン」という一つの音にきこえる。音程が合わないと音が揺れるので、音の揺れを止めるように3弦に2弦を合わせていく。

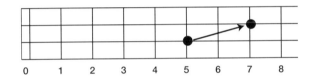

③同じ要領で2弦5フレットと1弦7フレットのハーモニクスを鳴らし、1弦を合わせる。

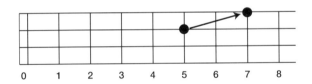

④同じ要領で4弦5フレットと3弦7フレットのハーモニクスを鳴らし、4弦を合わせる。

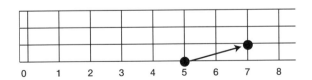

第1章 セッティングと基本フォーム

セッティング

　チューニングが済んだら、音を鳴らすためのセッティングをしましょう。エレキ・ベースは電気を使う楽器のため、楽器単体だけではきちんとした音が鳴りません。正しい演奏をするためにも、常にアンプとの接続が必須です。接続は手順を間違えたり乱暴に扱うと故障の原因になりますので、正しいセッティング手順を身に付けましょう。

アンプとの接続

　アンプの電源スイッチは、ベース、アンプともに**ボリュームが0の状態でON/OFFにする**のが鉄則です。また、シールドコードの抜き差しは、必ず電源が**OFF**のときに行いましょう。

①ベースのアウトプットジャックにシールドを差し込む。

②ベースに差し込んだシールドの反対側をアンプのインプットに差し込む。

③アンプのボリュームが0なのを確認し、電源を入れる。

④ベースのボリュームノブを上げる。

⑤アンプのボリュームをゆっくり上げ、全体音量を調整する。

※練習が終わったときは、①〜⑤の手順を全て逆に行う。

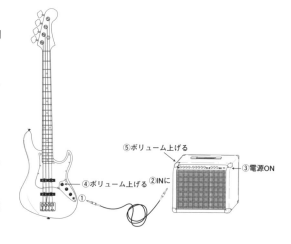

　ベース側のシールドは右図のようにストラップにくぐらせておきましょう。演奏中に踏んで抜けてしまうことを未然に防ぐことができます。

ボディのコントロール部分の設定

ボリュームノブとトーンノブの調整

　ボディのコントロール部分には、ベースによって数が異なりますが、音量を調節するボリュームと音質を調整するトーンの2種類のノブが並んでいるのが一般的です。ボリュームノブは、基本はフルに上げておき、曲中で音量を下げるような場合に手元で調整するようにします（ジャズ・ベースのように2つ付いている場合は、ネック側のフロント・ピックアップ、ブリッジ側のリア・ピックアップの2つのPUバランスをそれぞれ0～10の割合で調整することができます）。トーンノブは、フルにすると硬くハッキリした音、絞ると柔らかくこもった音になります。

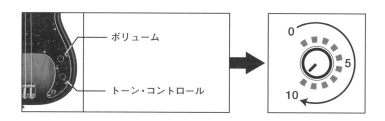

アクティブタイプのベースについて

　ベースのボディには、パッシブタイプとアクティブタイプがあります。簡単に説明すると、パッシブタイプはベース本体に電源を必要としないため、アンプ側で決定した音のバランスをボディ側で絞ることしかできません。対してアクティブタイプはボディ本体に電池を搭載しており、ベース側で細かな音の調整ができます。ボディ裏側に電池を入れる場所があれば、それはアクティブタイプのベースです。アクティブタイプのノブは、これもベースによって数や種類が異なりますが、基本は0にし、±5で好みの音に調整します。

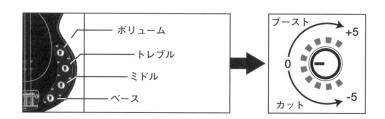

アンプの設定

アンプについているコントロール類は、アンプによって数や種類、名称が異なりますが、基本的な名称とその働きを覚えておきましょう。音量を調節するGAINとMASTER以外のつまみは、最初はすべてフラットの状態にしてみて、好みで上げ下げし、**気に入ったバランスが見つかったらメモしておく**と良いでしょう。

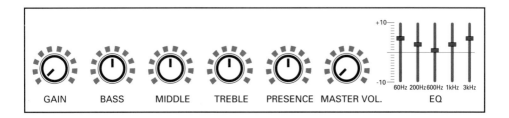

```
GAIN（ゲイン）……………ベースからの信号の大きさを調整する。上げ過ぎると音が割れるので注意。
BASS（ベース）……………低音域のバランスを調整する。
MIDDLE（ミドル）…………中音域のバランスを調整する。
TREBLE（トレブル）………高音域のバランスを調整する。
PRESENCE（プレゼンス）‥TREBLEよりさらに高音域のバランスを調整する。
EQ（イコライザー）………表示されている周波数帯ごとにブースト＆カットを行う。
MASTER（マスター）………以上のトーンを調整した後に最終的な音量を決定する。
```

第1章　セッティングと基本フォーム

姿勢

　チューニングとセッティングが完了したら、いよいよベースを弾きましょう。まずは、正しい姿勢で構えましょう。最初のうちは違和感を覚えるかもしれませんが、慣れてくると徐々に体にしっくりしてくるでしょう。

座って弾くとき

　低めの椅子に浅く座り、ボディのくびれている部分を右足の太ももあたりに乗せ、右ひじ付近で軽く支え、左手をネックに添えます。左手を離してもベースが安定するように構えましょう。

立って弾くとき

　ストラップを左肩から下げ、ネックが地面と水平よりも上向きになるようにして構えます。ボディの位置はストラップの長さを調節して好みの高さに変えてかまいませんが、最初はオヘソのあたりにくるように調節すると弾きやすいでしょう。

第1章 セッティングと基本フォーム
右手のフォーム（ピック）

　右手で弦を弾くことをピッキングと呼び、ベースの基本ピッキングにはピックで弾く**ピック・ピッキング**と指で弾く**フィンガー・ピッキング**があります。どちらも基本奏法なので両方できるようになるのが理想ですが、ピックだとどうも弾きにくい、逆に指だと上手く弾けない、と感じる方はどちらか一方をマスターしてください。まずは、ピック・ピッキングから解説しましょう。

ピックの持ち方

　ピックの先端を5mmほど出すようにして、右手の親指と人差指で挟みます。ピッキングしたときにピックが指から落ちず、手首がスムーズに動く程度の力加減で持ちましょう。

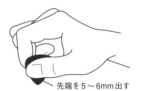

先端を5〜6mm出す

ピッキングの動き

　ピッキングするときは、ウチワを軽く扇ぐような要領で手首を回転させ、ピックが弦に対してなるべく平行にあたるようにします。上から下に向かって弾くことを**ダウン・ピッキング**、下から上に向かって弾くことを**アップ・ピッキング**と呼び、両者を交互に繰り返すことを**オルタネイト・ピッキング**と呼びます。

ダウン・ピッキング
上から下に向かって弦をはじく

アップ・ピッキング
下から上に向かって弦をはじく

オルタネイト・ピッキング
上下にピッキングを繰り返す

開放弦をピックで弾きましょう。オルタネイト・ピッキングを使い、ダウンとアップの音がまばらにならないよう、均一な音を目指してください。左手は使いませんが、弾かない弦に軽く触れて音を出さないようにしてください。

Exercise 1

Exercise 2

Exercise 3

第1章 セッティングと基本フォーム
右手のフォーム（フィンガー）

　アタック感の強いハッキリとした音が出るピック・ピッキングに対し、フィンガー・ピッキングは、ソフトで繊細な音を表現するのに適しています。指弾きの場合は、**ツー・フィンガー**と呼ばれる、右手の人差指と中指の腹を使って交互に弦をヒットするピッキングが基本です。

ツー・フィンガーの構え方

　親指をピックアップの上に軽く添えて固定し、人差指と中指の指先の腹が弦にあたるようにします。2本の指は長さが違うので、ピッキングしやすいようにブリッジ側にやや傾けて構えた方が自然になります。

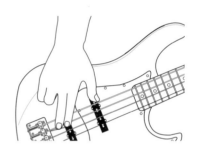

ピッキングの動き

　弦をヒットするときは、指の腹の膨らんだところの少し上あたりを使います。ツー・フィンガーは人差指と中指を交互に弾くオルタネイト・ピッキングが基本で、どちらの指からスタートしてもかまいませんが、中指からスタートした方が自然でしょう。

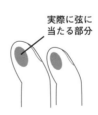

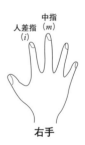

開放弦をフィンガー・ピッキングで弾きましょう。人差指と中指の音がまばらにならないよう、均一な音を目指してください。左手は使いませんが、弾かない弦に軽く触れて音を出さないようにしてください。

Exercise 4

Exercise 5

Exercise 6

第1章 セッティングと基本フォーム
左手のフォーム

　弦を押さえる左手の基本フォームには、大きく分けて**クラシック・スタイル**と**ロック・スタイル**の2種類があります。両者は親指の位置の違いから指の開きや角度が変わります。演奏によって臨機応変に使い分けられるようにしましょう。

クラシック・スタイル

　親指をネックの裏に固定し、人差指→中指→薬指→小指の順に各指を離さずに1フレットずつ押さえます。指を離すときは、指を離すフレットよりも低いフレットは押さえ続けたままの状態にしておきます。押さえる場所はフレットバーのすぐ隣です。細かいフレーズを演奏するときに適したフォームです。このフォームは指をかなり開くので、手の小さい人にはキツいですが、できれば次に紹介するロック・スタイルよりも先にこちらをマスターするようにしてください。

[正面]　　　　　　　　　　　　　　　　[真上]

フレットバーのすぐ隣を4本の指で1フレットずつ押さえる　　　親指をネック裏の中央に固定する

ロック・スタイル

　親指をネックの上に出し、ネックを軽く握りこむようにして構えます。フレットを押さえる場所はクラシック・スタイルと同じくフレットバーのすぐ隣を押さえて下さい。同じ音を繰り返し弾くときや、スライド（P.49）などでポジションを大きく移動するときなどは、このフォームが適しています。また、ベースのストラップを長くして低く構える人は、自然とこのフォームになります。

[正面]　　　　　　　　　　　　　　　　[真上]

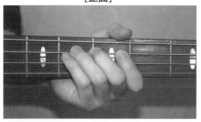 

親指はネックの上に出す　　　ネックを軽く握り込むように持つ

Ex.7とEx.8はクラシック・スタイルで弾きましょう。右手のピッキングは指とピックどちらでもOKです。左手がどうしても押さえられない人は少し高い方のフレット（5〜8フレット付近）で練習してください。Ex.9はクラシック・スタイルとロック・スタイルの両方で弾き比べてみましょう。

Exercise 7

Exercise 8

Exercise 9

COLUMN バンドと練習スタジオ

「友達とバンドを組む事になった」「好きなバンドの影響で」etc…、ベースを始めたキッカケは人それぞれだと思いますが、ベースはアンサンブルで惹き立つ楽器なので、いずれバンドを組んで他のパートの人達と合わせて演奏することになるでしょう。バンドを組んだら活用するのが音楽用リハーサルスタジオ（練習スタジオ）です。普段自宅での練習と、実際に他のメンバーと合わせながら大きなアンプで音を出すのとでは、かなり差があるものです。通常練習スタジオは複数人数でなくても、個人練習用に割安で使えるところも多いので、大きな音で立って練習したい時は、一人の練習でもぜひ利用してみてください。事前予約をし、楽器とシールドさえ持っていけば、ライブハウスなどでも置いてあるような大きなアンプを使って練習することができます。

第2章　リズム・トレーニング

第2章 リズム・トレーニング
音符の種類①

アンサンブル楽器の中で、ベースはドラムとまとめて「リズム隊」と呼ばれます。ギターと同じ弦楽器ではありますが、基本は**ドラムと一緒にリズムを支える**役割を果たすからです。音の長さを「音価」といいますが、正しい音価を身につけることは演奏の基礎中の基礎とも言えます。本章では、さまざまな長さの音符の読解に慣れながら、リズム感を鍛えるトレーニングをしていきます。尚、練習には必ずメトロノームを使ってください。

4分音符

メトロノームのクリックに合わせ、まずは4拍子の1拍の基準となる4分音符を刻みましょう。♩＝90くらいから始めて、慣れてきたら♩＝130くらいまで上げてみましょう。

2分音符と全音符

2分音符は2拍、全音符は4拍伸ばします。通称「シロタマ」と呼ばれる長い音符ですが、音価の長い音ほど体でしっかりカウントを感じていないとリズムがブレやすくなります。まずはゆっくりなテンポから確実に練習してください。また、ピッキングの強さを変えると音の衰退が変わるので、いろいろ試してみましょう。

4分音符、2分音符、全音符をミックスしたリズムを練習しましょう。

Exercise 10

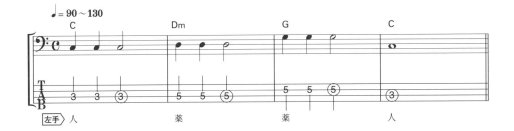

Exercise 11

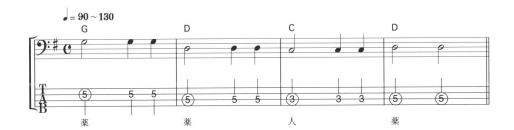

Exercise 12

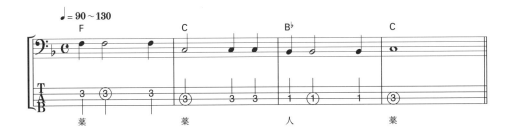

第2章　リズム・トレーニング
音符の種類②

　ロックやポップスのような音楽では一般的に、前項で紹介した4分音符よりも長い音符（シロタマ）を、ベースがずっと刻み続けるということはまずありません。ベースがドラムに合わせ、いわゆる8ビートや16ビートというリズムを軸にした楽曲を演奏する場合は、次に紹介する8分音符や16分音符を刻む場合がほとんどです。

8分音符

　4分音符の1/2の長さで、8ビートの軸となる音符です。8分音符は1拍の半分なので、オモテとウラに分けて呼ぶことがあります。ピック・ピッキングの場合は、オルタネイトが基本になりますが、ダウンのみでも練習してみましょう。オルタネイトで弾くよりもパワフルになります。

16分音符

　4分音符の1/4の長さで、16ビートの軸となる音符です。8分音符のさらに半分なので、1拍をオモテ／16のウラ／8のウラ／16のウラウラと呼ぶことがあります。ピック弾きの場合はオルタネイトで均一に弾きましょう。指弾きの場合は、スタートの指を中指からと人差指からのどちらでも練習してみましょう。

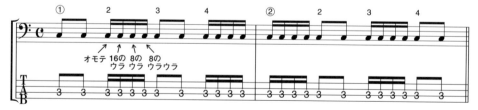

8分音符＋16分音符

　8分音符と16分音符は、以下のように組み合わせて出てくることがよくあります。音型で覚えておきましょう。

8分音符、16分音符をミックスしたリズムを練習しましょう。

Exercise 13

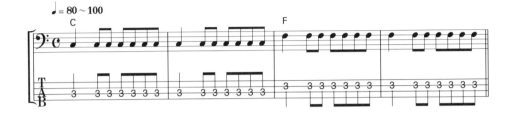

Exercise 14

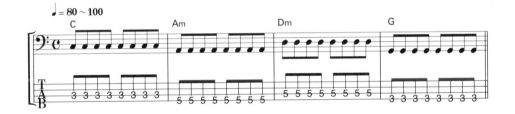

Exercise 15

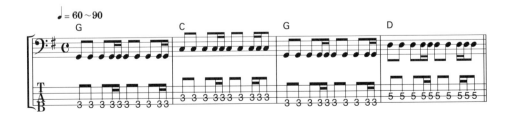

第2章　リズム・トレーニング
音符の種類③

音符の種類をもう少し見てみましょう。一つの音符にその半分の音価を足した音符を**付点音符**（ふてんおんぷ）と呼びます。音符の右に付いた小さな点が半分の音価を表わす**付点**です。ここまでに紹介した他の音符と組み合わせ、より幅広いリズムバリエーションを練習しましょう。

付点2分音符

3拍伸ばします。2分音符、全音符と同じく長い音符なので、テンポ感をしっかり保ちましょう。

付点4分音符

4分音符＋8分音符の長さです。下はベースでよく使われるリズム・パターンです。8分音符がウラ拍になるので注意しましょう。

付点8分音符

8分音符＋16分音符の長さです。16ビートの曲では、16分音符とミックスしてよく出てきます。P.30の8分音符＋16分音符のミックスと合わせて、1拍の音型を覚えてしまうと良いでしょう。

付点音符の出てくるリズムを練習しましょう。

Exercise 16

Exercise 17

Exercise 18

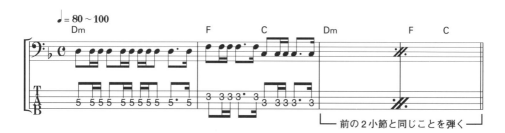

第2章 リズム・トレーニング

休符

　音楽は、常に音が鳴っているだけではなく、合間に音を止める休みの箇所もあります。休みの長さを表わすのが**休符**ですが、種類は音符の長さにそれぞれ対応しています（次ページ表参照）。実は、ベースを演奏する上で音符よりも気を使うのがこの休符です。休符が出てきたら単純に「休む＝弾かない」ではなく「音をしっかり消す」ということを徹底して意識する必要があるからです。音を消すことを**ミュート**と呼びますが、ミュートは左右どちらかの手で行います。

ミュート

　ミュートは、演奏中に必要があるときに応じて、臨機応変に左右どちらかの手で行いますが、おそらく慣れるまでは左手の方がやりやすいでしょう。ピッキングした後に音を止めるタイミングで、**指全体でネックに軽く触れて音をカット**します。ただし、ほんの少しだけ音をカットするだけのわずかな休みの場合は、**押さえた指を弦に触れたままネックから浮かす**だけでもミュートできます。

左手全体でミュート

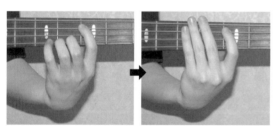

音を出す　　　　　　　　　左手の指全部で軽く弦に触れる

押さえた指でミュート

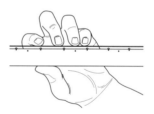

指を弦に触れたままネックから浮かす

右手のミュート（指弾き）

　指弾きのときは、ピッキングした後に音を止めるタイミングで、ピッキングをしなかった方の指（例：人差指で弾いたら中指）で弾いた弦に軽く触れ、音をカットします。

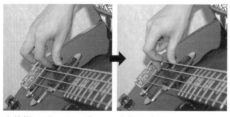

人差指でピッキング　　　中指で止める
※写真は3弦

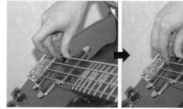

中指でピッキング　　　人差指で止める
※写真は3弦

休符の種類

全休符	𝄻	o と同じ長さ
2分休符	𝄼	♩ と同じ長さ
4分休符	𝄽	♩ と同じ長さ
8分休符	𝄾	♪ と同じ長さ
16分休符	𝄿	♬ と同じ長さ

Ex.19はピック・ピッキング、Ex.20はフィンガー・ピッキングで弾き、ミュートの練習をしましょう。

Exercise 19

Exercise 20

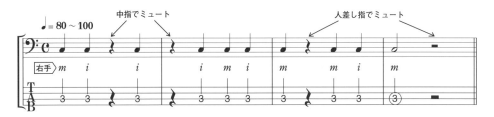

第2章 リズム・トレーニング
タイ／シンコペーション

　ここまでにさまざまな種類の音符を紹介しましたが、音符だけでは表わすことができない音の長さもあります。同じ高さの2つの音符を**タイ**という弧線でつなぐと、足して一つの長さとみなすことができます。

タイ

　タイは、同じ高さの2つの音符の長さを1つにまとめる記号です。2つの音符がタイでつながれていたら、音を切らずに最初の1音をそのまま伸ばします。これによって全音符以上音を伸ばしたり、1つの音符では記譜できない長さを表わすことができます。

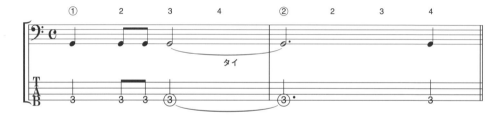

シンコペーション

　タイによってウラの音と次のオモテの音がつながって、ウラの音を強調したリズムを**シンコペーション**と呼びます。

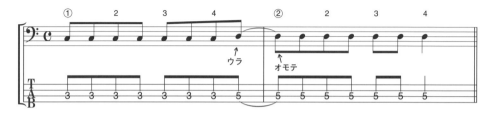

第2章　リズム・トレーニング

　タイでつながれた音のうしろの弾かない音は、オルタネイト・ピッキングしながら空振りを入れるとリズムが安定します。

Exercise 21

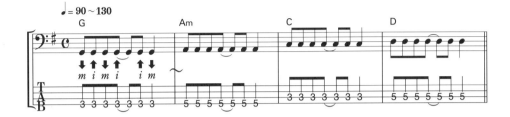

Exercise 22

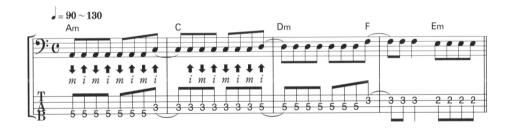

Exercise 23

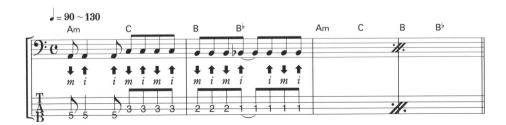

第2章 リズム・トレーニング
連符／シャッフル

　1つの音符では表せない長さはまだあります。4分音符を2等分すると8分音符、4等分すると16分音符になりますが、それ以外の数で等分するときは、上に等分する数字が書かれた**連符**で表わします。よく出てくるのが3連符で、これを元にしたリズムを**シャッフル**と呼びます。

連符の種類

シャッフル

　3連符を元にした♪♪のような音型をシャッフルと呼びます。「タンタ/タンタ/タンタ/タンタ〜」というハネたリズムが特徴です。バンドスコア等で楽譜の冒頭に♫=♪♪のような表記があったら、♫を実際には♪♪で演奏します。

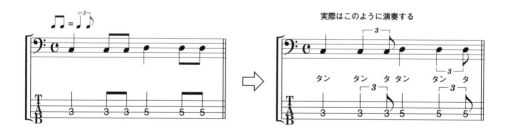

連符やシャッフルの練習をしましょう。

Exercise 24

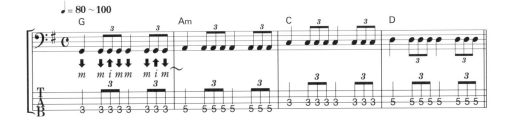

Exercise 25

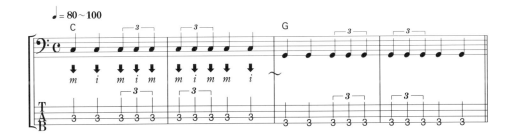

Exercise 26

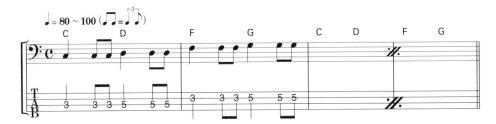

第2章　リズム・トレーニング
音の長さをコントロールする

　さまざまな音符の種類を元にリズム・トレーニングをしてきましたが、ここでは演奏そのものをより深めてみましょう。ベーシストにとって最重要なリズム感を養うには、正しい音価を身につけることが必須ですが、プロの演奏に耳を傾けると、楽譜だけでは表せない繊細な表現をしています。

音を短く切る

　左手で押さえている指を1音1音浮かせて軽くミュートし、実際の音符の長さよりもほんの気持ち短く切って演奏してみましょう。・は音を短く切るスタッカート記号です。

音を長く伸ばす

　今度は1音ずつ充分に伸ばしながら演奏します。左手の押さえている指が次の音に移動する直前のギリギリまで押さえることを意識してみましょう。―は音を充分に伸ばすテヌート記号です。

メリハリを付ける

　上記の2つの奏法を混ぜてみます。短い音符では短く切り、長い音符では充分に伸ばしてください。

音価にメリハリを付けながら演奏しましょう。

Exercise 27

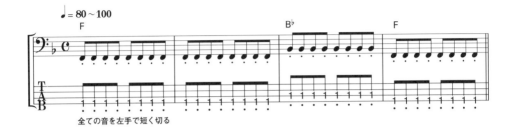

Exercise 28

Exercise 29

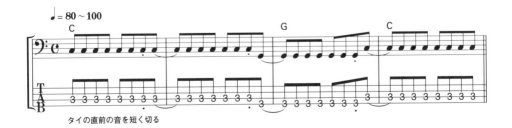

第2章 リズム・トレーニング
音の強弱をコントロールする

前項は左手のコントロールでしたが、次は右手で音の表現をコントロールしましょう。ピッキングに強弱を付ける練習です。

特定の音を強く弾く

ある音だけ強調してリズムにメリハリを付けてみましょう。アクセント記号（＞）の付いた音を強くピッキングし、それ以外の音は均一になるようにタイトに演奏しましょう。

だんだん強くする

楽曲がサビに入るときなど、盛り上がりを付けるイメージで、少しずつピッキングを強めます。

突然弱くする

楽曲でイントロが終わってヴォーカルが入るときなど、必要に応じてアンサンブル全体のボリュームを落とすことがあります。同じフレーズでもさまざまな強弱が付けれるようにしましょう。

強弱を付けながら演奏しましょう。Ex.30 はアクセントのオモテとウラの位置に注意してください。

Exercise 30

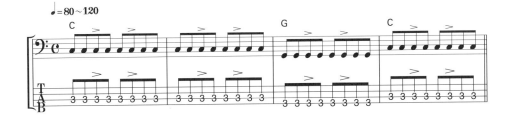

Exercise 31

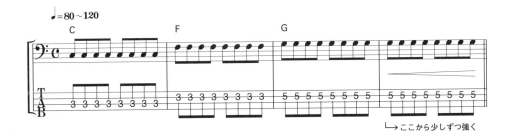

Exercise 32

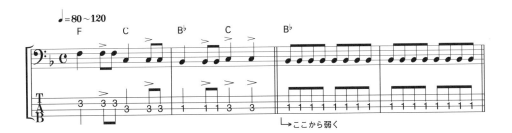

COLUMN　リズム・トレーニングのいろいろ

ベーシストにとって一番の肝となる「リズム感」を鍛えるトレーニング方法を補足します。メトロノームのクリック音を半拍ずらしてウラでとる方法です（下図参照）。これは慣れるまで難しく感じると思いますが、かなり効果があるので是非実践してみてください。

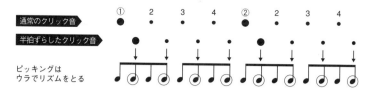

また、リズム感を鍛えるには「耳を鍛える」ことも重要です。好きな音楽などを聴くときに普段と意識を変えて、まずはベースの音だけに集中してみましょう。一つの音を集中して聴くと、テンポ感が普段よりも意識されます。さらに同じ曲を何度も聴いてベースのフレーズに慣れてきたら、ドラム、ギター、ヴォーカル等の他のパートとのリズムのコンビネーションがどのようになっているかを、分析しながら聴いてみてください。「ここはドラムにのっかっている」「ギターと同じことを弾いている」「歌に合わせたフレーズになっている」など、部分部分によっていろんなリズムの解析ができるようになります。

第3章　フィンガリング・テクニック

第3章 フィンガリング・テクニック
ハンマリング／プリング

　第2章ではリズム楽器としてのトレーニングをしてきましたが、本章では、弦楽器としての各種ベース・テクニックを紹介します。ギターのリードプレイなどでも使われているもので、左手を主体としたテクニックです。まずは、左手の指で弦を叩いて音を出す**ハンマリング**(ハンマリングオン)と、弦を指で引っ掛けて音を出す**プリング**(プリングオフ)です。

ハンマリング

　ある音をピッキングした後、次の音をピッキングせずに左手の指で叩いて音を出します。

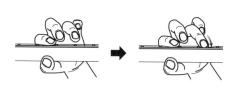

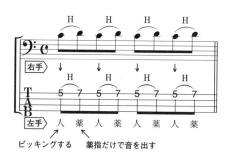

プリング

　左手で押さえている音を、右手のピッキングではなく押さえている指で引っ掛けて音を出します。

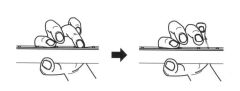

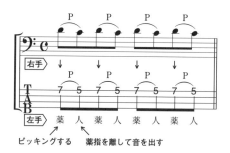

ハンマリングとプリングの組み合わせ

　ハンマリングとプリングはセットで弾かれることが多い奏法です。また、これを交互に素早く繰り返す奏法は**トリル**と呼びます。

ハンマリング&プリング

トリル

ピッキングしたらハンマリングとプリングを素速く繰り返す

Exercise 33

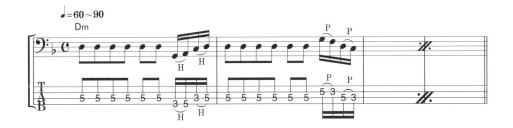

Exercise 34

第3章 フィンガリング・テクニック
スライド／グリッサンド

　左手の指をすべらして音を出す奏法に、**グリッサンド**と**スライド**があります。両者はテクニック的にほとんど同じですが、グリッサンドが音の始まりや終わりがはっきり決まっていないのに対し、スライドではどの音からどの音まで指をすべらすかが決まっている、という違いがあります。

グリッサンド

　ピッキングした後、左手で弦を押さえたままフレット上をすべらせる奏法で、ヘッド側の低いフレットに下がることを**グリスダウン**、ボディ側の高いフレットに上がることを**グリスアップ**と呼びます。
※イラストはベースを構えて上から覗いた形になっています。

グリスダウン

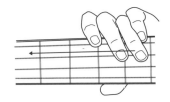

低いフレットに指をすべらす

グリスアップ

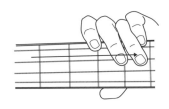

低いフレットから指をすべらす

Exercise 35

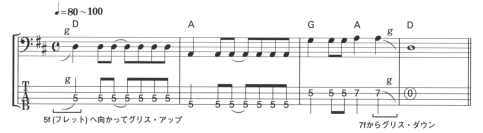

5f (フレット) へ向かってグリス・アップ　　　　　　　　　7fからグリス・ダウン

第3章 フィンガリング・テクニック

スライド

　スライドは、ピッキングした後に次の音まで指をすべらせます。2音間をなめらかにつなげるために使われる場合と、目的音に向かって装飾的に使われる場合とがあります。低いフレットに下がることを**スライドダウン**、高いフレットに上がることを**スライドアップ**と呼びます。※イラストはベースを構えて上から覗いた形になっています。

スライドダウン

 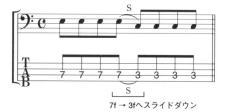

7f → 3fへスライドダウン

スライドアップ

3f → 7fへスライドアップ

他の弦の音へのスライド

　低い弦から高い弦、または高い弦から低い弦に向かって、スライドしてから移動する方法もあります。

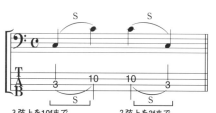

3弦上を10fまで　　2弦上を3fまで
スライドし、2弦を押さえる　スライドし、3弦を押さえる

Exercise 36

10f → 5f へ　　　　4弦上を10fまで　　　12f → 5f へ
スライドダウン　　スライドして3弦10f　　スライドダウン

第3章 フィンガリング・テクニック
チョーキング／ビブラート

チョーキングと**ビブラート**は、左手で弦を押し上げたり押し下げたりして音の高さを変える奏法です。ギターでよく使われるテクニックでベースでは使用頻度は少ないですが、弦楽器特有のワザなので身に付けておいて損はないでしょう。ベースで行う場合は、ギターよりも弦が太い分左手に負担がかかるので要練習です。

チョーキング

チョーキングは右手でピッキングした後、左手で1・2弦は押し上げ、3・4弦は押し下げて音程を変えます。ベースは弦が太いので指を2〜3本添えてしっかりとチョーキングしてください。チョーキングした状態から元に戻すことを**チョークダウン**と呼びます。※イラストはベースを構えて上から覗いた形になっています。

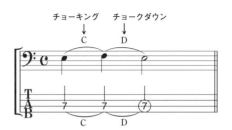

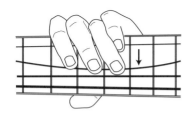

1弦＆2弦のチョーキング

4弦方向へチョーキングする

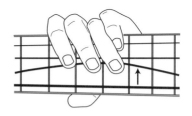

3弦＆4弦のチョーキング

1弦方向へチョーキングする

ビブラート

チョーキングを上下に繰り返し、音を揺らす奏法を**ビブラート**と呼びます。楽譜上でビブラートの指示は全て同じですが、どのくらいのスピードで、どのくらいの音のふれ幅で揺らすかはベーシストに任されています。ベースの場合、あまり大きく揺らすことはないので、適度に揺らしてビブラートをかけましょう。

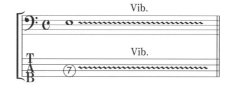

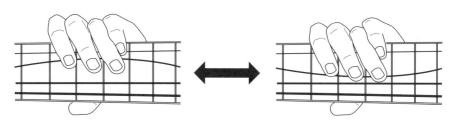

ピッキングした後、チョーキングする　　　　　　すぐに元に戻し、逆側へもチョーキングする

Exercise 37

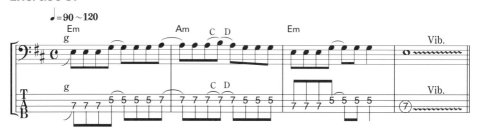

第3章　フィンガリング・テクニック
スラップ奏法

　さて、ここまでに左手を使うさまざまなテクニックを紹介しましたが、右手を使うテクニックには**スラップ奏法**があります。これは、右手の親指と人差指で弦を叩いたり引っ張るようにピッキングし、パーカッシブな音を出すもので、別名「チョッパー奏法」とも呼ばれています。ピック弾き、指弾きに並んで3つ目のピッキング奏法になります。

サムピング

　スラップ奏法は、右手の親指と人差指を使います。まずは、親指で弦を叩く**サムピング**を練習しましょう。サムピングは、主に低音弦（3弦・4弦）を弾くときに使います。親指をちょうどヒッチハイクするような形で立て、手首を前後に回転させて第一関節の側面で弦をヒットします。

親指を立てる

手首を回転させて弦をヒット

弦から跳ね返って、元の位置に戻る

プル

　サムピングで低音弦をヒットした後、人差指で高音弦（1弦・2弦）を引っかける**プル**を行います。プルは、人差指を弦とボディの間にもぐらせてひっかけ、すぐに離し「バシッ！」というアタックの強い音を出します。サムピングのときと逆側の手首の回転を使います。

サムピングの後、人差指で弦をひっかける

手首を回転させ、すばやく離して音を出す

ゴースト・ノート

スラップ奏法はサムピングとプルを折り混ぜて演奏するのが基本ですが、さらにミュート状態でアタック音をだけを出す**ゴースト・ノート**を加えると、よりパーカッシブな演奏になります。ゴースト・ノートは、左手の指をネックから浮かしてミュートしながらピッキングして音を出します。

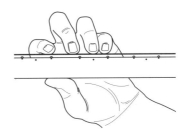

弦に触れたままネックから浮かし、
ピッキングする

＞がプル、×がゴースト・ノートそれ以外はサムピングで弾きます。Ex.39はハンマリングやスライドも入ってかなり難易度が高いですが、ゆっくりなテンポから練習してみてください。

Exercise 38

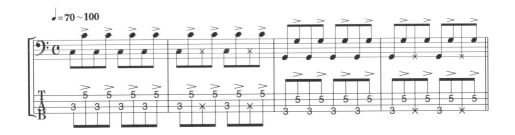

Exercise 39

COLUMN フレットに慣れよう

ベースを始めたばかりの頃は、右手のピッキングよりも、左手でどのフレットを押さえるのかを1つ1つ確かめるので精一杯になるでしょう。これに慣れるには何度も押さえて指が覚えるまで練習を繰り返すしか方法はありませんが、この時せっかく覚えるのですから、フレットを「どの指で押さえるか」だけに捕われず、「何の音を押さえるか」も合わせて意識するクセをつけましょう。ポジションを押さえながら「C・C・C・C・F・F・G・G～」といった具合に、フレット音名を頭の中で唱えながら演奏してください。最初はかなり大変ですが、これを根気よく繰り返しているうちに、ある時、手のポジションと音がパッと一致するようになり、上達がグンと速くなります。下図は指板の音の位置を示したものですが、誰でも最初から頭に入るものではありません。いろいろな曲やフレーズを繰り返し練習しているうちに、押さえている指と音が頭の中で自然に一致するようになりますので、是非、普段から「今弾いている音はどこかな？」と意識しながらフレットに馴染んでいってください。

※13フレットからは1フレットからと同じ並びに戻る。

第4章　ベースラインの実践

第4章 ベースラインの実践
コード弾きの基礎

　ここまでに覚えた左手と右手の奏法を組み合わせながら、より実践的なベースラインを学びましょう。ベースはアンサンブルの中でギターやキーボードが奏でるコード（和音）のボトムになる音を演奏する役割があります。コードを理解しておくと読譜や自分でベースラインを作る際にも役立ちます。まずは、コード弾きの基本のしくみを簡単に知っておきましょう。

コードとは

　コードとは、音程の違う3つ以上の音を同時に鳴らした和音のことをさします。音の組み合わせによって各種コードネームが付けられます。下はコードの一例ですが、このコードネームの一番最初にくるアルファベットを**ルート音**（Root）と呼び、3rdや5thなどはルート音からの音程を示した構成音（コードトーン）です。

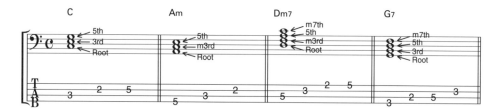

　右図は、C（ド）をルート音としたときの、他の構成音との位置関係を指板上に示したものです。これは、ルートが他の音に移動しても弦楽器の構造上変わらないので、少しずつ慣れながら覚えていきましょう。覚えるコツとしては、4弦-2弦または3弦-1弦の**1つ飛ばした弦の2フレット先にオクターブ違う同じ音がくる**のがポイントです。

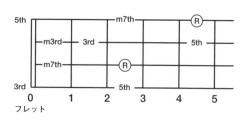

　ルート音はコードの構成音の中で一番要になる重要な音です。ベースでは和音を鳴らすことはありませんが（一部効果音的に使う場合を除く）、アンサンブルではベースがこのルート音を弾くことで、バンド全体のコード感が引き立ちます。言い換えれば、ベースは**ルート音を弾くだけでも演奏が成り立つ**（通称ルート弾き）のです。

同じコード進行を、さまざまなポジションを使いながらルート音のみで演奏しましょう。

Exercise 40

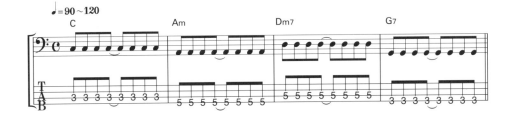

Exercise 41

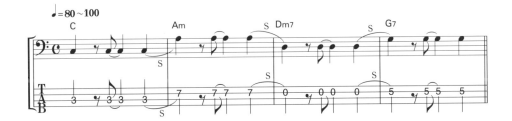

Exercise 42

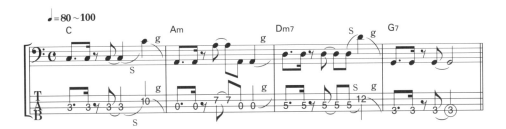

第4章　ベースラインの実践
代表的なコード

　では、代表的なコードを紹介します。弦楽器の構造上、さまざまなポジションで同じ音が出せますが、4弦ルートと3弦ルートの形を一つずつ頭にいれておけば、ルート音がどこでも同じフォームで弾けます。※コードの種類はこの他にたくさんありますが、本書より詳しい内容を学びたい方はコード理論書やコードブック等を参照してください。

メジャーコード

　まずは、CやGなどコードネームがアルファベット1文字、つまり「ルート音名のみ」のメジャーコードです。構成音（コードトーン）はRoot・3rd・5thです。

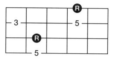 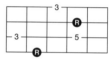

マイナーコード

　コードネームがCmやGmなど「ルート音名＋小文字のm」で書かれるコードで、構成音はRoot・m3rd・5thです。メジャーコードの3rdが1フレット（半音）低くなります。

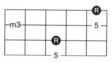 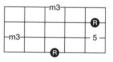

セブンスコード

　コードネームがC7やG7など「ルート音名＋数字の7」で書かれるコードで、構成音はRoot・3rd・5th・m7thです。メジャーコードにm7thを足したコードで、ルート音の2フレット下がm7thの音です。

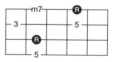 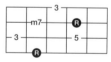

マイナーセブンスコード

　コードネームがCm7やGm7など「ルート音名＋小文字のm＋数字の7」で書かれるコードで、構成音はRoot・m3rd・5th・m7thです。マイナーコードにセブンスコードと同じm7thを足したコードです。

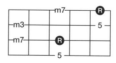 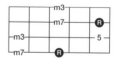

第4章 ベースラインの実践

　コードトーンをなぞったベースラインの練習です。コードネームと左ページの図を確認しながら演奏しましょう。

Exercise 43

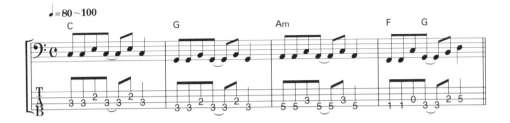

Exercise 44

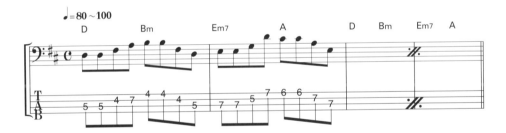

Exercise 45

第4章 ベースラインの実践
コードをつなげて演奏する

　ベースラインはルート音のみ、またはルート音にそれ以外のコードトーンを加えることで組み立てられますが、楽曲の中で出てくる様々なコードは、それぞれが独立しているものではなく、随時流れて進行していくものです。それをスムーズにつなげる方法を紹介しましょう。

クロマティック・アプローチ

　コードを移動するときに、**次のルート音の1フレット下の音**を入れると、2つのコード間をスムーズにつなぐことができます。これをクロマティック・アプローチと呼びます。クロマティックとは「半音階的な」という意味です。

　このクロマティック・アプローチはさらに低いフレットからスタートして、2段階や3段階にすることもできます。

ドミナント・アプローチ

　コードを移動するときに、**次のコードの5thの音**を直前に入れるつなぎ方をドミナント・アプローチと呼びます。ルートから5thの音は、1つ低い弦の同じフレットまたは1つ高い弦の2フレット先にあるので、ポジションを視覚的に覚えておきましょう（P.58参照）。

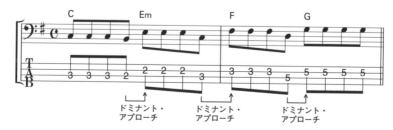

クロマティック・アプローチ、ドミナント・アプローチを使ったベースラインの練習です。

Exercise 46

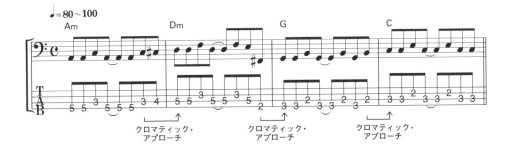

Exercise 47

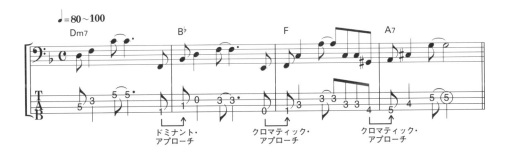

Exercise 48

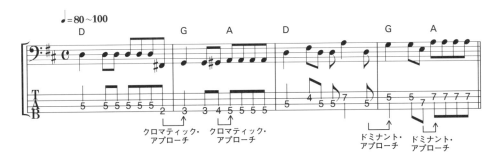

第4章 ベースラインの実践
ベーシック・スケール

スムーズなベースラインを演奏する上で、コードと並んで知っておきたいのが**スケール**です。スケールとは「ドレミファソラシド」のような音階のことで、楽曲に適したスケールを使うとコードトーン以外の音が有効に使えます。これもコード同様たくさんの種類がありますが、まず覚えておきたいのが**メジャー・スケール**と**マイナー・スケール**です。

メジャー・スケール

メジャー・スケールはいわゆる「ドレミファソラシド」のことで、もっとも基本的なスケールです。楽曲には調性（キー）があり、長調（メジャー・キー）と短調（マイナー・キー）の曲があります。メジャー・スケールはメジャー・キーのベースラインに使えるスケールで、Cメジャーの曲ならCメジャースケール上の音が使えます。

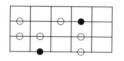 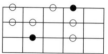

マイナー・スケール

メジャースケールを、6番目の音（Cメジャースケールなら A の音）から並べ直したスケールを**ナチュラル・マイナー・スケール**と呼びます。メジャースケールを並べ直しただけなので中身は同じですが、こちらはマイナー・キーの曲に使えます。

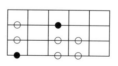 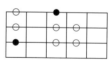

さらに、このナチュラル・マイナー・スケールの7番目の音を1フレット（半音）上げると、**ハーモニック・マイナー・スケール**という別のマイナー・スケールが出来上がります。こちらもマイナー・キーの曲に有効ですが、7番目の音はこのスケールの特有の音なので効果的に使うと良いでしょう。

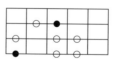 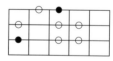

メジャー・スケール、マイナー・スケールをつかったベースラインを練習しましょう。

Exercise 49

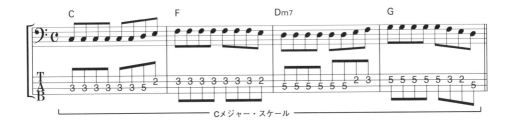

Exercise 50

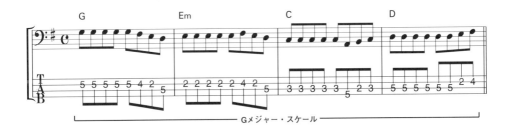

Exercise 51

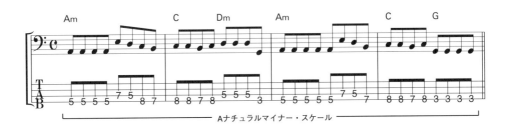

第4章 ベースラインの実践
ペンタトニック・スケール

　メジャー・スケール、マイナー・スケール以外に、ベーシストがもう一つ覚えておきたいのが**ペンタトニック・スケール**です。これは5音で構成されたスケールで、ロックでは非常に使いどころが多いので必修しておきましょう。ペンタトニックにもメジャーとマイナーがあります。

メジャー・ペンタトニック・スケール

　5音（Cメジャー・ペンタトニックなら「C・D・E・G・A」）で出来たスケールで、メジャーコードやセブンスコードに使えます。

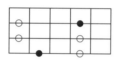 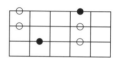

マイナー・ペンタトニック・スケール

　同じく5音（Cマイナー・ペンタトニックなら「C・E♭・F・G・B♭」）で出来たスケールで、主にマイナーコードに使えます。セブンスコードに使ってもハマることが多いです。

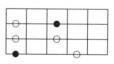 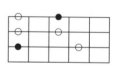

メジャー・ペンタトニック・スケール、マイナー・ペンタトニック・スケールをつかったベースラインを練習しましょう。

Exercise 52

Exercise 53

Exercise 54

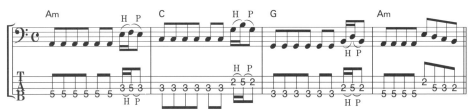

COLUMN 好きな曲をコピーしよう

ベースの基本が少しずつわかってくると、上達するには普段どのような練習をすれば良いか迷う人も多いでしょう。楽器店等ではトレーニング教材なども入手できますが、そういったもので3日坊主になってしまう人は、まずは、自分の好きなバンドやアーティストの曲を1曲通して弾く練習を繰り返すと良いでしょう。この時、最初からあまり難易度の高いものを選ぶのは問題がありますが、チャレンジしてみて自分には難しいと感じたり、できない箇所があるもので充分に良いと思います。大切なのは、何が苦手か、どこを練習すべきかを自分自信で把握することです。

また、この時の練習法として、必ず原曲の音源を聴きながら練習してください。プロの演奏する音色をたくさん耳にインプットするのは上達の近道になります。スコアが手に入れば、それを見ながら合わせて練習できますが、ない場合は音源を聴きながらフレットを探り、自分の聴き取れるところからコピーしてみましょう。耳コピーは初心者にはとても難しい方法ですし、もちろん最初から1曲全部聴き取ることは不可能ですが、音感を鍛えるトレーニングとして、是非速い段階から実践することをオススメします。

第5章　サウンド作り

第5章 サウンド作り

楽器の構造による音の違い

　ベースのサウンドは奏法だけでなく、楽器本体の構造や材質、音を出力するアンプのセッティングなど、いろいろな要素が組み合わさって決定されます。どこかに不具合があれば、せっかくの良い演奏も台無しになってしまいます。まずは、自分のベースをよく知り、楽器の長所を生かせる演奏を目指しましょう。

ピックアップ

　ボディに埋め込まれているピックアップ（以下PU）は、ベースの心臓ともいえる重要なパーツです。PUの形状には主に下図の3種類があり、それぞれ音が変わります。主にジャズベタイプに見られる「シングルコイル」は音立ちのはっきりしたシャープな音、プレベタイプにみられる「スプリットコイル」は2つのPUがZ字型に並んだ形でキメの粗い太い音が特徴です。スティングレイに代表される「ハムバッキング」はシングルコイルを縦に並べた構造で、パワフルでさらに図太い音が得られます。

シングルコイル　　**スプリットコイル**　　**ハムバッキング**

楽器の材質

ボディの材質

アルダー	中音域がしっかりしたバランスが良い音
アッシュ	音のヌケが良いクリアで締まった音
ライトアッシュ	アッシュとアルダーの中間のような音
マホガニー	ソフトで温かみのある音
メイプル	硬く音の伸びが良い音

ネックの材質

ローズウッド	はっきりとした締まった音
エボニー	さらに硬く締まった音
メイプル	アタック感の強い明るい音

ネックのジョイント部分

ボディとネックのジョイント部分（接合部分）には、主に下図の3種類があり、「ボルトオンネック」「セットネック」「スルーネック」の順にサスティン（音の伸び）が良くなります。

ボルトオンネック	セットネック	スルーネック
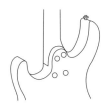		
ネックとボディをボルトで留めており交換が可能。	ネックとボディを接着剤で留めている。	ネックからボディまで一体になっている。

ネックの長さ

ベースのスケール（ここでいうスケールは弦およびネックの長さのこと）は、メーカーによって多少異なることもありますが、一般的なベースはロング・スケール（約864mm）というサイズで、これより短いもの長いものがあります。スケールは長いほど押さえるのに力を要しますが、張りのある重低音が得られます。ただし、短いスケールのベースは軽量でフレットが狭いので弾きやすいというメリットもあり、一長一短です。

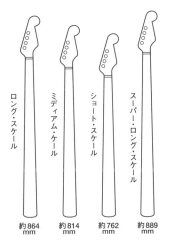

ロング・スケール 約864mm
ミディアム・スケール 約814mm
ショート・スケール 約762mm
スーパー・ロング・スケール 約889mm

使用弦

弦には太さ（ゲージ）、長さ（スケール）、材質、巻き方の違いがあります。ゲージは太いほど張りがあり音が硬く、細いほど柔らかく明るい音になります。弦のスケールは、上記のネックの長さに準じたものを使って下さい（弦の交換方法はP.74参照）。材質は、ニッケルとステンレスが主流で、ステンレスの方が硬く抜けの良い音ですが、寿命が短いというデメリットもあります。そして巻き方は、表面に凹凸のある高音成分がきらびやかな「ラウンドワウンド」、表面がフラットで高音成分の少ない「フラットワウンド」、両者のちょうど中間の「ハーフワウンド」の3種類があります。

ラウンドワウンド	フラットワウンド	ハーフワウンド
断面が丸い巻き線を巻いてある	断面が四角い巻き線をまいてある	ラウンドワウンドの表面を削ってある

第5章 サウンド作り
アンプ・セッティングの応用

　ベースのサウンドは前項で見たような楽器本体のさまざまな要因が相乗した上で、最終的には出力するアンプのコントロールで好みの音に調整します。ここでは、参考としてアンプの各コントロールのセッティングをジャンル別に紹介しましょう。ただし、ここで紹介するのはあくまで目安なので、実際に音を出して自分の好みの音を追求するようにしてください。

POPS

　ポップスといっても幅広いですが、指弾きでオールマイティに対応したい場合は、全てフラットにした状態で高音（PRESENCE）のみをやや絞るとマイルドで聴きとりやすい音になります。

ROCK

　ピック弾きで図太くて芯のあるサウンドが欲しい場合は、低音（BASS～MIDDLE）をやや上げ、高音（PRESENCE）を少しカットすると良いでしょう。ただし、低音を上げ過ぎるとアンサンブル全体でベースが聴きとりずらくなるので注意してください。

PUNK

　ラウド系の音でよく耳にするピックやスラップでのゴツゴツした音を強調したいときは、中音域を上げると良いです。このとき低音域もしっかり出したい場合はEQで上げて調節します。

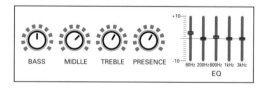

FUNK

　スラップ奏法に特化したセッティングでは、低音（BASS）と高音（TREBLE）を上げ、EQで中音を下げたV字型をつくるようにします。ただし、高音を上げ過ぎるとプルの音が強くなりすぎてしまうので注意しましょう。

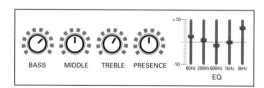

第5章　サウンド作り

エフェクターの使用

　エフェクターは、音色を変化させたり音にさまざまな効果を加える機械です。ベースはギターほど多種多様に使い分ける機会は少ないですが、代表的なものを紹介しましょう。注意点として、エフェクターを必要以上にかけすぎたり、複数のエフェクターをつなぎすぎると音ヤセの原因になります。効果や正しい接続方法を理解した上で使用するようにしましょう。

歪み系

　ギターではおなじみの音を歪ませる効果のエフェクターです。

オーバードライブ

空間系

　音に奥行きや広がりを持たせるエフェクターです。コーラスは2本の同じ楽器が同時に鳴っている感覚で、音を揺らす効果がかけられます。フランジャーはさらに音を深く揺らすエフェクターで、強くかけるとジェット機のようなサウンドを出すことができます。

コーラス

フランジャー

残響系

　ディレイは山びこ効果を作るエフェクター、リヴァーブは広いホールなどで演奏しているような残響を再現するエフェクターです。どちらも美しい音響をつくりますが、深くかけすぎるとベースの輪郭を失うので、ソロのときなどに効果的に使うと良いでしょう。

ディレイ

リヴァーブ

フィルター系

ワウはギターでは一般的なもので、ペダルを踏むと文字通り「ワー」「ウー」と音が変化します。ベースではペダルを踏まなくてもワウ効果が得られるオート・ワウがよく使われます。

ワウ

コンプレッサー／リミッター

こちらは、音色を変える効果のものとは違い、音の粒を揃えるエフェクターで、どちらか片方を使います。コンプレッサーは音を圧縮して音量を均一化させ、リミッターは一定の大きさを超えた音のみを押さえます。

コンプレッサー

リミッター

マルチエフェクター

ここまでに紹介したようなさまざまなエフェクター（コンパクトエフェクター）を1台に集約したものです。音質はコンパクトタイプの方が良質ですが、ヘッドホンを直接さして練習でき、チューナーやリズムマシンの機能も搭載しているので、1台持っていると大変便利です。

エフェクターの接続順

エフェクターはベースとアンプの間にシールドで接続しますが、複数台をつなげるときは、系統によって順番があります。また、エフェクター同士をつなげるときは、パッチケーブルという短いシールドを使用します。

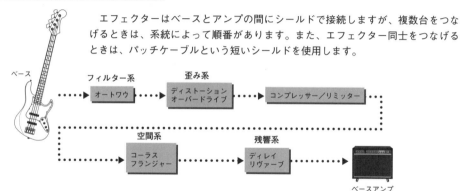

第5章　サウンド作り
トラブル解決法

　ベースの音が鳴らないなどのトラブルが生じた時に考えられる原因と解決法を紹介します。これ以外でのトラブルやわからない点は楽器店で見てもらうと良いでしょう。

音が鳴らない

手の確認

左手はしっかり弦を押さえているか、右手は弦に触れてミュート（消音）してしまっていないか確認しましょう。

指板の手入れ

指板やフレットが汚れていると、音が出にくくなります。こまめに掃除をしましょう。

ベースのボリュームノブの確認

楽器本体のボリュームノブが下がっていると、アンプのボリュームが上がっていても音が鳴りません。

シールドのINとOUT

ベースからシールドでアンプにつなげた端子がINではなくOUTになっていると音が鳴りません。

シールドが壊れている

シールドの中で線が切れていたり、接触部分が壊れている可能性があります。他のシールドでも試してみましょう。

チューニングがずれる

弦の交換

　弦が古くなってくると音がモコモコとこもってきたり、チューニングが狂いやすくなります。定期的に交換しましょう。

ネックの反り

　楽器は床に寝かせて置いたり壁にたてかけておくとネックが反りやすくなってしまいます。ネックをヘッド方向から見てみましょう。図のようにどちらかの方向に反ってしまっている場合は、楽器店で修理をしてもらう必要があります。

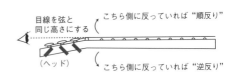

第5章 サウンド作り

弦の交換

　弦は消耗品です。古くなると音質が劣化し、チューニングも不安定になります。交換する時期は弦の種類や演奏量によっても変わりますが、1〜2ヶ月に1度を目安に定期的に交換しましょう。

弦交換に必要なもの

新品の弦…ベースのスケールにあったものを
　　　　　1セット用意する
ニッパー…弦を切るときに使う
掃除用品…弦を取りはずしたときに、指板の
　　　　　汚れなどを拭き取るクロスやポリ
　　　　　ッシュなど

弦交換の手順

　古い弦から新しい弦に交換するときは4弦→1弦の順に1本ずつ行うと良いでしょう。また、交換しながらクロスや乾いた布でフレットやボディ全体を拭いて掃除もしましょう。

①

弦を緩める

②

ペグから弦を外す

③

ブリッジの手前で弦を切る

④

ブリッジ側の弦を抜き取る

第5章 サウンド作り

⑤

ブリッジ側から新しい弦を差し込む

⑥

ヘッド側に弦をまっすぐ伸ばし、ペグ2つ分くらいの長さを残して余った分を切る

⑦

ペグに差し込む

⑧
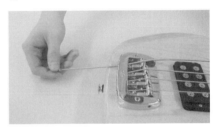
ブリッジ側でねじれを取りながら引っ張る

⑨

ペグを締める

⑩

弦を引っ張ってなじませる

応用曲

KICK BACK

米津玄師

作詞・作曲：米津玄師

応用曲

風になって

[Alexandros]
作詞・作曲：川上洋平

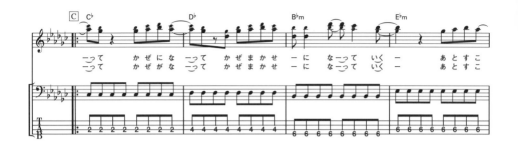
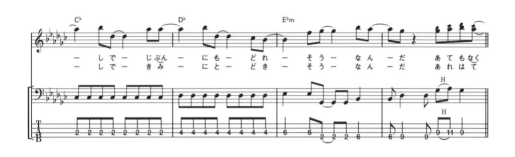
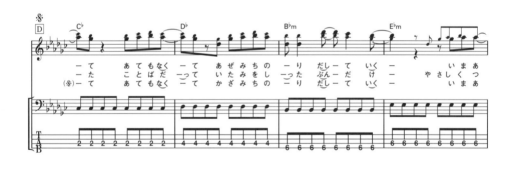
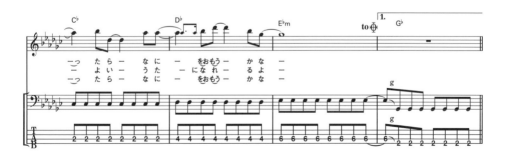

応用曲｜風になって

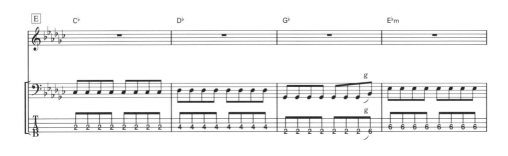
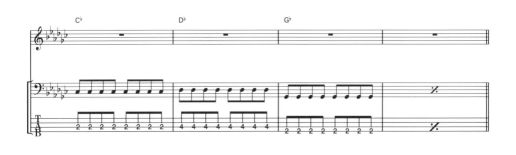

応用曲｜風になって

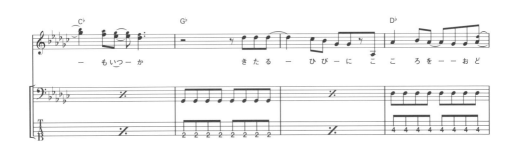

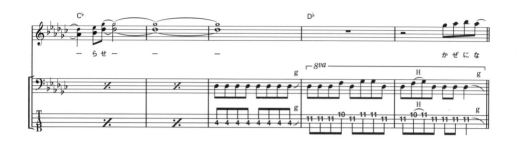

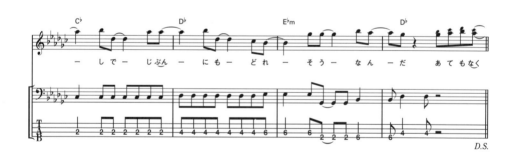
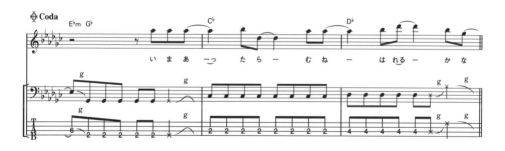

応用曲｜風になって

応用曲

オレンジ

SPYAIR
作詞：MOMIKEN　作曲：UZ

応用曲｜オレンジ

応用曲 | オレンジ

初心者のためのエレキ・ベース講座	定価（本体 1200 円＋税）

編著者―――自由現代社編集部
表紙デザイン―オングラフィクス
発行日―――2024 年 12 月 30 日
編集人―――真崎利夫
発行人―――竹村欣治
発売元―――株式会社自由現代社
　　　　　　〒171-0033 東京都豊島区高田 3-10-10-5F
　　　　　　TEL03-5291-6221/FAX03-5291-2886
　　　　　　振替口座 00110-5-45925

ホームページ――http://www.j-gendai.co.jp

皆様へのお願い

楽譜や歌詞・音楽書などの出版物を権利者に無断で複製（コピー）することは、著作権の侵害（私的利用など特別な場合を除く）にあたり、著作権法により罰せられます。また、出版物からの不法なコピーが行なわれますと、出版社は正常な出版活動が困難となり、ついには皆様方が必要とされるものも出版できなくなります。音楽出版社と日本音楽著作権協会（JASRAC）は、著作権の権利を守り、なおいっそう優れた作品の出版普及に全力をあげて努力してまいります。どうか不法コピーの防止に、皆様方のご協力をお願い申し上げます。

株式会社　自 由 現 代 社
一般社団法人　日本音楽著作権協会
　　　　　　　　　（JASRAC）

JASRAC の承認に依り許諾証紙張付免除

JASRAC　出 2408789-401
（許諾番号の対象は、当該出版物中、当協会が許諾することのできる出版物に限られます。）

ISBN978-4-7982-2689-7

●本書で使用した楽曲は、内容・主旨に合わせたアレンジによって、原曲と異なる又は省略されている箇所がある場合がございます。予めご了承ください。
●無断転載、複製は固くお断りします。●万一、乱丁・落丁の際はお取り替え致します。